阆苑仙境话生肖

摄影 潘明清

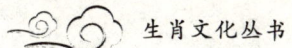

生肖 你我 她

SHENGXIAO NI WO TA　　张瀚文　罗修德　著

解读你的运程
解读我的团队
解读她的姻缘

三秦出版社

图书在版编目（CIP）数据

阆苑仙境话生肖/张继军，罗修德著. —西安：三秦出版社，2009.9

（生肖文化丛书）

ISBN 978-7-80736-695-9

Ⅰ.阆... Ⅱ.①张... ②罗... Ⅲ.十二生肖-通俗读物 Ⅳ.K892.21-49

中国版本图书馆CIP数据核字（2009）第168388号

生肖文化丛书
生肖你我她——阆苑仙境话生肖

张继军 罗修德 著

出版发行	三秦出版社
	新华书店经销
社　　址	西安市北大街147号
发行电话	（029）87205121
垂询电话	（0817）6225777
邮政编码	710003
印　　刷	蓝田立新印务有限公司
开　　本	720×1000　1/32
印　　张	36
字　　数	66千字
版　　次	2009年12月第2版
	2011年10月第3次印刷
印　　数	12501-24900套
标准书号	ISBN 978-7-80736-695-9
单册定价	6.50元
全套定价	78.00元
网　　址	WWW.sqcbs.com

引　言

　　盛唐双奇袁天罡、李淳风晚年退隐于被称为人间仙境的四川阆中，常常一起谈风论水推测后世，并遗存有大量的天象和风水方面的书籍，尤以《推背图》久负盛名。这套小书是风水馆张瀚文馆长和罗修德风水大师根据这些遗存，经过多年的研究编写而成的。

　　阴历是世界上流传最久的历法。黄帝在位61年时，产生了一道十二官历法的首轮称为甲子，每一甲子为期60年，由5个分期构成，每个分期12年，我们称为五子运。每一年都以一个"动物符"作标记，我们称之为生肖。关于十二生肖源于何时及其排列，有各种传说，至今难以细考。这类故事，或似开心解闷的笑谈，或似贬恶扬善的寓言,文学成分较浓。

　　古代也有这样的传说,玉皇大帝99岁寿辰时,王母娘娘在阆苑仙境为他举行盛大的宴会,天上人间各路神仙纷纷前来贺寿,最先到来的动物神是老鼠,接着是牛、虎、兔、龙、蛇、马、羊、猴、鸡、狗、猪。玉皇大帝就按这些动物到来的先后顺序分别封以不同的年号,配以不同的时辰,作为对它们的赏赐。从此,"鼠咬天开"后的小老鼠就幸运地坐上了十二生肖的头把交椅,新一轮的五子运也从鼠年开始了。

　　代表生肖的动物符分别与自然界中的木、火、土、金、水五行相对应。五行又按磁场的正负极分为两极,即中国人所谓的阴和阳。

　　在阴历中,每天分为12更,每种动物符代表1更,昼始于子夜11时。阴历中的动物符对人的影响也是十分强烈的。属相中的12种动物分为阴阳两类。鼠、虎、龙、马、猴、狗属阳性，牛、兔、蛇、羊、鸡、猪属阴性。

12种动物属相除了其表示年的五行外，还有其固定的五行与季节对应。猪、鼠、牛为冬天，方位北方，季节色为蓝色，五行属水；虎、兔、龙为春天，方位东方，季节色为绿色，五行属木；蛇、马、羊为夏天，方位南方，季节色为红色，五行属火；猴、鸡、狗为秋天，方位西方，季节色为黄色，五行属金。

古代圣贤说，土生万物，因为它是金、木、水、火四行合一的象征，便不能与十二属相中任何动物相对应。有些算命人士指土为本行，从而以牛代水、龙代木、羊代火、狗代金。

在没有现代方法观测气象的时代，中国人便利用了阴历来预测雨雪到来的季节。时至今日，人们仍然相信阴历的真实可靠性。人们会发现，如果某年五行标志为水，那么这一年很可能会发生决堤或洪灾，这取决于阴阳两极哪个的影响力更强些。

你也许会对春季的第一天感兴趣，皇历中谈到，这一天鸡生的蛋能立起来，请你不妨试一试。如果有缘，你会见证的。阴历中春季到来的这一天称为"立春"，通常是阳历2月4日或5日。阴历节气是变化无常的，某些阴历年中也许会出现两次立春的情况，而某些阴历年根本不存在立春。中国的占卜者们称无立春之年为"盲年"，因为人们"看"不到春季的第一天。因此，在这样的年份里是忌讳娶亲的。

在这本小书中，你会发现、知晓深藏于你内心和他人内心深处的秘密。这样，你不仅会了解自己，而且还会知道你个人与事业的关系，知晓生活中会发生的事情。

同时这本小书能帮助你从另外一个角度观察自己，观察你宜与周围哪些人组成最好的朋友或团队，观察宜与哪个属相的人与你结合的婚姻是幸福美满的。它会使你理解主宰你的"狗"为什么会偶尔让你表现出急躁,属马的人易变、不安静特点的由来,以及为什么属龙的朋友会盛气凌人、花钱讲排场,还有蛇年出生的人为什么会有多疑的性格。你也许会吃惊地发现,有些工匠善于修理各种各样的东西,是因为他们出生于使他们聪明智慧的猴年。另外你还会看到那些动作迟缓、自信甚至保守的银行家们多是出生在充满自信的牛年。

也许这本书能让你进入理解命运和造化的神秘之门,甚至可以帮你作出重大决定。人生路上你会倾听蛇的机敏语言、寻求羊的温柔与同情心、获得猴的聪明智慧、共享马的快乐、欣赏兔的善交能力、用狗的忠诚交朋友、依靠虎的热情点燃生命之火、以鼠的勇于进取去完成伟业……

愿《生肖你我她》成为你为人处世的指南、美满婚姻的处方、幸福生活的源泉。

春

生肖\干运	鼠	牛	虎	兔	龙	蛇	马	羊	猴	鸡	狗	猪
水运	甲子	乙丑	丙寅	丁卯	戊辰	己巳	庚午	辛未	壬申	癸酉	甲戌	乙亥
火运	丙子	丁丑	戊寅	己卯	庚辰	辛巳	壬午	癸未	甲申	乙酉	丙戌	丁亥
木运	戊子	己丑	庚寅	辛卯	壬辰	癸巳	甲午	乙未	丙申	丁酉	戊戌	己亥
金运	庚子	辛丑	壬寅	癸卯	甲辰	乙巳	丙午	丁未	戊申	己酉	庚戌	辛亥
土运	壬子	癸丑	甲寅	乙卯	丙辰	丁巳	戊午	己未	庚申	辛酉	壬戌	癸亥

冬 夏

秋

目 录

辰 龙 …………………………………… 1

龙 年 …………………………………… 3

属龙人的性格 ………………………… 5

属龙的儿童 …………………………… 11

属龙人的起名 ………………………… 14

属龙人的五种类型 …………………… 16

属龙人与时辰的对应关系 …………… 22

属龙人在其他生肖年中的运程 ……… 35

属龙人生月趣解 ……………………… 48

属龙人生日趣解 ……………………… 52

属龙人的姻缘 ………………………… 59

吉祥四季 平安一生 ………………… 84

阆中风水博物馆 ……………………… 86

辰 龙

(圆明园十二生肖铜兽首)

龙

我是永不熄灭的火,
那是所有能源的发祥地,
那里有一颗英勇、坚强的心。
我是真理、是光明,
我支配着权力和荣耀。
由于我的出现,
能使乌云驱散。
我被时代选来,
向命运提出挑战。
　我是——龙

龙年

兔年过后，我们得到了休整。又从安逸中急转直下。这一年也有好的一面，生意兴隆，钱来得容易。强大的龙会讥笑那些谨小慎微、小气吝啬的人。

　　东方人认为这一年结婚生子、开始新买卖会很吉利，因为仁慈的龙会给人们以幸福和运气。

　　然而，这也是我们削减热情的时候，在进行冒险之前需要三思而行。尽管幸运的龙会把祝福洒向人间万物，但当我们犯了错误该遭报应的时候它的威力就会消逝。于是成功和失败都会同样被夸大。

　　龙年，运气和灾难会席卷而来，这一年会有很多令人吃惊的事发生，大自然的运动也会凶猛异常。巨龙喷出的电子云会影响每一个人。

属龙人的性格

　　神话传说中那巨大、宏伟的龙使人们产生无限遐想，所以龙那神奇的品质，不管虚幻与否，肯定也蕴含在那些出生在龙年人们的心中。

　　属龙人宽宏大量，充满生气和力量。对他来说，生活是五颜六色的火焰，跳跃不停。尽管他以自我为中心，偏见、武断、异想天开，要求极高或蛮不讲理，但总有崇拜者。由于他骄傲、清高、非常直率，在一生中很早就树立了理想，并要求其他人也具有同样高的标准。

　　在中国，龙象征着皇帝或男性，它代表着权力。据说在龙年出生的人都带着命运之使。属龙的孩子喜欢拣重担挑，喜欢承担重要责任，即使这个孩子在家里最小也是如此。年龄较大的孩子常常比他们的父母更能担负起抚养他们的弟弟妹妹的责任。

　　属龙人的能量很大。他那急躁、渴望和几乎是宗教性的热情，像寓言中所讲的龙口中喷出的火那样燃烧。他有做大事的潜力，因为他喜欢大刀阔斧地干事情。然而，如果他不能控制他那早熟的热情，就会把自己烧掉，变成一缕青烟。他的性格极易变得狂热，不管做什么事情总是大张旗鼓。他当然是属于成功的属相，是权迷心窍、狂妄自大的人。

尽管他们脾气很坏，又武断，但对长辈还是孝顺的。无论他或她与家庭有什么分歧，只要家里需要他帮助时，他会把分歧丢到脑后，果断而慷慨地给家里人以帮助。然而，危机过后，家庭成员要遭到严厉指责。他很少拐弯抹角讲话，他讲起话来就像引用皇家法律一样。

属龙人与属蛇人一样与成功有着不解之缘，但他比属蛇人更公开表达自己的观点。他的失败往往是由于体力不支所致，所以即使失败了也不会在他心里留下创伤。他是个敢干的人，他可以单枪匹马地进行讨伐，向领导示威，写信或在请愿书上收集一百万人的签名。

龙女士是十二生肖中的贵妇人，她爱鼓吹妇女参政，男女平等，对妇女的歧视行为会使她大发雷霆。男人能做的事，她也许做得更好，不要低估她，她会将你击败，置之于死地。她从不逆来顺受。

通过她的衣饰你可以看出她是严肃的人。实用的衣服最受她欢迎。她的衣服上没有褶边，不要飘带，没有多余的纽扣、蝴蝶结。但最低限度的要求还是要的，比如：喜欢宽松的、适于活动的衣服，她不喜欢穿紧身的受约束的衣服。实际上，如果她爱好军事或公共事业，她会喜欢一套制服。这样她可以穿着衣领挺直、干净利落的衣服轻轻松松地去工作，不必为每天决定穿什么衣服而烦恼。

属龙的姑娘很少过分打扮自己，完全是自然美，没有任何修饰。她的自尊心很强，虽然有架子，但她并不希望人家像圣人一样待她。她只要你尊敬她。

尽管属龙人的缺点与他的长处一样多，但他的光辉照耀着每一个人。他很有气量，从不喜欢嫉妒别人。他也许会牢骚满腹，但不会见死不救。这不是由于他真诚地关心、同情你，而是他对一切都有深深的责任感。

属龙人乐意做出重大贡献，你可以指望他的支持，他也会尽力而为。在他承认失败以前，会拼尽一切力量。他是个热爱大自然的外向型人，他能成为一个活跃的运动员、一个旅游迷或是一个健谈的人。他具有超级推销员的素质，他和他的同伴总是进行着推销工作。

属龙人出生时的天气状况对他今后的生活有很大影响。在暴风雨中诞生的孩子会走一条暴风雨般的、充满冒险性的生活道路。他会历经艰险或磨难。在海和天都很平静的白天出生的人，会一生得到保护，而且他性情会很可爱。

属龙人要么就很早结婚，要么干脆独身。他独身会很快活，因为工作和事业占据了他的全部生活。总会有朋友或崇拜者来与他做伴。

属龙人不喜欢浪费也不吝啬。他很慷慨，从不关心他的银行收支平衡与否，除非他凑巧与欠钱的属相结合在一起。

属龙人异常积极，他不会长久沉没。甚至当他处于忧郁时，会比别人都更快地挣脱出来。他是快活的，并反对斯斯文文。

不管怎样，他是一个坦率的人，你能像看书一样来了解他。他从不伪装自己的感情，也很少用心去尝试这一点。他不能守口如瓶，保守秘密，甚至当他发誓一个字也不说时。但在

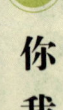

他发怒的时候便会把秘密脱口而出,并且一字不漏。

他的感情是真挚的、发自内心的。当他说爱你时,你可以肯定他是真心的。

在所有的属相中,他与属鼠人关系最为默契,他们都很威严,而且会组成不可战胜的同盟。龙鼠联盟是一个成功的结合,因为鼠很狡猾而龙很强大,他们可以在一起干大的事业。龙与冷静的、令人尊敬的蛇组成很好的婚姻,蛇能用智慧控制龙的胡作非为。

虎、鸡、马、羊、兔和属猪相者都会竭力找属龙人做伴,喜欢他的美丽和力量。龙与牛两个属相因为都很威严而使关系有些紧张。在所有属相中,也只有猴属相会成为使龙感到最头痛的伙伴,属龙人会受属猴人的严密监视,属狗人也被属龙人的威力镇住而变得玩世不恭。

值得注意的是:尽管龙使人眼花缭乱,但只有当他能够控制住他那传说般的力量时,才能创造出奇迹并让人们充分信任他。

属龙的儿童

情绪高涨的龙孩子可能是个发明家。他性格倔强，无所畏惧，并很活跃，任何东西都不能阻止他对生活的幻想，他很早就能提出自己的观点，并且从不需要或要求别人的帮助，他对长者很尊敬，也能主动地服从指挥。

这个热情的孩子把全部精力都贯注于他认为值得为之献身的事业。他心中有无数偶像：他的老师、他的家长或任何值得他尊敬的人。他生气勃勃，好斗并很独立。他很粗暴，爱取笑别人，动辄为权力而战。他愿承担一些责任，以便找到事情做，以此来显示他的作用。然而，不许他欺负那些性格温驯的孩子，他那种专横跋扈的性格必须要制止。

龙孩子喜欢做一些对别人有用的事。他喜欢人需要他，而不仅仅是爱他。他的努力是诚恳的，应当受到赞扬的，因为他会通过非常努力地工作来使你高兴，并赢得你的尊敬。即使他把一件简单的事当做一件复杂事来做，你切不可嘲笑他，那样会挫伤他的自尊心。他的自尊心很强，宏伟的梦想对他来说就是现实。在他的一生中，感情会大起大落。如果他遭到失败，他不需要别人保护。他严以律己，一旦认识到自己的错误，用不着别人去批评，他会第一个严惩自己，并改正错误。

这个骄傲的、自力更生的小家伙，将永远坚强地忠实于他的理想，他生来就要领导别人，超过别人。

属龙人的起名

取名宜有"氵"字，大吉，有冲天之势，成功隆昌，富贵增荣，一生享福；有"金""玉""白""赤"字，清明公正，学识渊博，福寿兴家；有"月"字，温和贤淑，克己助人，良善积德，子孙鼎盛；有"鱼""酉""丫"字，勤俭建业，贵人相助；有"土""田""禾""衣"字，多不顺，不利家庭；有"士""十""日"字，性刚果断或忧心劳神；有"石""艹"字清雅平凡，贵人相助，易因情误事；有"力""刀"字，不利家庭；有"系""犭"字，奔波劳苦；有"火"字，无立足之地，忌车怕水，不利健康。

属龙的人的五种类型

金龙——1940年 2000年 2060年

这是一个意志最坚强的人。诚实、正直对他来说至关重要。尽管他光明磊落，善于发表自己的观点，但他不是一本正经的人，而且他很爱批评别人。

由于好动、好斗的特点，他会寻找那些与他智力相同、社会地位相仿的人做伴。他对懒惰和愚蠢感到厌烦。生硬的金和龙属相结合会使人感觉以强凌弱。另外，他顶多是个出色的战士。

他极其热情认真，把信念看得比生命还保贵。你想使他相信某些事情办不到是徒劳的，这种人会努力驱除他生活中所能遇到的一切罪恶，并盲目热衷于他的信念和道德信仰。

他会夸大自己的作用，在外交方面有点欠缺。如果其他人不同意他的观点或拒绝接受他的领导，他习惯于单独行动。

强大的金龙会冲向神仙都不敢去的地方。他会成功，因为他从不给自己留后路，他把后路全部切断，以便一旦发起进攻就不能回头。

水龙——1952年　2012年　2072年

　　这种人不像其他属龙人那样专横，最喜欢适合他生长与发展的环境。他能为整体利益放弃自尊，并且他不那么自私固执。由于他是一个能约束自己并不断进取的人，所以尽量不使自己像其他属龙人那样引人注目，同时也不打算充当调解人。对一些事物他会采取等着瞧的态度。他的智慧像他的意志力一样令人生畏。

　　他在生活中遵循着"相信你自己"的人生信条，并不会对那些与自己大相径庭的人进行报复。因为他思想解放、民主，能毫无痛苦地接受失败或遭到拒绝。

　　水对于这种属相起着镇静作用，这对他很有利。他知道怎样聪明地行动，并为他的进步做一些必要的准备。他敏捷可靠，并能不倦地表达他的思想。他可能在谈判中获胜，因为他知道何时、何地以及如何使用武力。

　　他的主要欠缺在于：他也许像一个过于乐观的建筑物忽略了加固地基。

木龙——1964年　2024年　2084年

这是一个具有创造性的、宽宏大量的人，在他头脑中会产生新思想。木与他的属相结合能使他善于系统地阐述及实践他的想法，并与其他人合作。他有时也许会带着优越感来关心他人。

由于生性好钻研，他爱刨根问底。他的每一次行动都受到很强的逻辑指导。然而当他遇到反对意见时，他倾向于深入调查其原因或允许别人进行无休止的辩论。

他非常慷慨，主张走中间道路，尽量少得罪人。他巧妙地把专一的方式隐藏起来。木元素使他不那么冲动，使他讲道理，当看到情况对他不利时，他就会妥协。

他不像其他属相的龙那样复仇心切或以自我为中心。他很坦率、自豪，并且在遇挑战时会毫不畏惧。

火龙——1916年 1976年 2036年

在所有的龙属相中,火龙最有正义感,最开朗,也最富有竞争力。他对每一个人都抱有很大希望。尽管他要求很高并很好斗,但他也具有很大的能量并将许多东西奉献给别人。他的缺点是:摆出高人一等的权威架子,使人怕他或避开他。他的领导品质常常被那些以救世主自居的愿望给毁掉。火要素与他那强大的属相匹配,会使他倾向于过分热情并专横、傲慢,甚至在没有抵抗的情况下一味推进。

事实上,他是个坦率的人道主义者。他公正,并不惜一切代价展示真理。对别人的批评很客观,并有能力以他那快乐的性格唤起群众。由于他是一个当然的帝国创建者,所以他希望一切事情都有高度的秩序,并希望自己掌舵。

他是最高级的表演者,很可能成为鼓励伙伴的力量源泉。当他学会抑制自己的不良品质并能更谦逊地与人交谈的时候,他将是个引起公众注意的人物。

土龙——1928年　1988年　2048年

他好交际，具有总经理的风度，能够情不自禁地控制周围的环境和人。作为属龙人，他必定是个独断专行的人，如果你希望他能有所改变那就太愚蠢了，然而他能正确对待其他人的意见，即使是反对意见也如此，土要素使他现实、稳定，有时甚至超脱。

尽管他不像其他人那样严厉，但还是想要征服别人。他不停地工作，以此来施展才干。

他有自控能力，但是并不意味着他缺乏创造力。这仅仅是因为土要素的影响从而使他变得从容，使他的抱负更坚定，实现理想的步骤更有章可循。

他从容强大，很勇敢，喜欢思考，善于组织，很少发脾气也不会在愤怒的时候屈尊去同他手下的人争执。然而，一旦他的自尊心受到伤害，他会迅速给予回击。

属龙人与时辰的对应关系

子时出生（鼠时辰）
——午夜 11 时至凌晨 1 时

典型的龙的慷慨也许会与鼠的节俭混在一起。
鼠那充满深情的本性也许会使他
难以成为绝对真实、果断的人。

丑时出生（牛时辰）
——凌晨1时至3时

这个行动缓慢的人喜欢做他有把握的事。

然而，

他的性格仍旧很暴躁，

但又使用牛的坚实稳重的方法

来对付他所遇到的人和事。

寅

寅时出生（虎时辰）
——凌晨3时至5时

当计划失败时他或许变得歇斯底里,

他有虎的疯狂与冲动。

头脑发热。

另一方面他也可能是个奴性很强的人。

卯时出生（兔时辰）

——早晨 5 时至 7 时

这是力量与外交的结合。

一个安静的人，

他习惯于思考和沉思。

他非常强大，

而又很微妙。

辰时出生（龙时辰）
——早晨7时至9时

他有绝对的献身和服从精神，

是高等绅士或尼姑类型的人。

如果他想要有大批的追随者，

也许只能建立自己的偶像来让他们崇拜。

巳时出生（蛇时辰）

——上午 9 时至 11 时

他能策划每一个行动，

并能精确地执行计划。

很少有邪恶的念头和过分的雄心。

但蛇的魅力掩饰了他的强烈感情。

午时出生（马时辰）
——上午 11 时至下午 1 时

爱交际，

喜欢下大赌注。

集会上少了他就好像缺少点什么。

但马的偏见和他的自私本性加起来会使

他的责任感暗淡下来。

未时出生（羊时辰）
——下午1时至3时

由于很谦虚并能谅解别人，
不用凭借野蛮的暴力
就能把事情做得尽善尽美。

申时出生（猴时辰）
——下午3时至5时

凭借自身的本领他可以当超级明星。
这是力量与计谋的良好结合。
他爱开玩笑、扮小丑，
但不要被他愚弄，
他是钢铁炼成的，
你不要想忽略他。

生肖

你我她

酉时出生（鸡时辰）
——下午5时至7时

是个无所畏惧、
爱幻想的人，
他极其骄傲，
又有鸡的愚蠢。
他从不会感到枯燥。

戌时出生（狗时辰）
——晚7时至9时

一个思想实际、

实事求是的人，

他心目中的狗使他能独立地判断形势，

并使他很幽默和稳重。

但愤怒时他也能狠狠地咬你一口。

亥时出生（猪时辰）

——晚9时至11时

热心、具有献身精神的人。
与他交朋友是值得的，
因为他会全力地支持你。
在猪时辰的影响下，
他会很谦逊。

属龙人在其他生肖年中的运程

鼠　年

这一年对属龙人来说是充满生机的一年,

适于寻求商业利益,

钱会流进他们的口袋,

但如果一笔生意没有做好就可能削弱他的财力。

他会很容易得到休整的机会。

这一年总的来说是有成绩的,

家庭或工作都不会有什么大麻烦。

牛　年

这一年属龙人会走运。

尽管进步不大，

但他会是幸运的，

因为他周围的争端和麻烦都不会直接影响他。

这时他会受到保护，

不会卷入困境。

家庭和生活不会受到干扰。

虎　年

这一年令人担忧。

他的计划受阻,

不经过大量争论就很难取得预期结果。

他必须做出选择:

要么忍痛与反对他的人在一起,

要么他很难使他的朋友高兴。

家庭问题会搅得他不安宁,

也许会有某个家庭成员离去。

兔 年

平静又回到了他的生活,
由于命运之风又吹起他前进的风帆,
因此,
他能取得一些进步。
尽管他可能得一些小病,
但这一年仍是平静的,
没有财政危机和坏消息等着他。

龙　年

对属龙的人来说这是非常好的一年。

无数的好事等待着他,

并且他能得到承认或在工作中

取得令人吃惊的成绩。

他所从事的一切都很容易获得成功,

因为在这令人兴奋的一年里,

属龙人会很繁忙并很机警。

蛇 年

这一年会生意兴隆,
尽管他会遇到一些麻烦,
计划仍能顺利完成。
由于他忽略了家庭生活和爱情生活,
他会遇到一些个人问题。

马 年

这一年他的生活会有不测和发生不愉快的事情。
如果他既不任性也不放肆的话,
一般来说问题会自行消逝。
但一些事情可能会打搅他的生活,
使他暂时改变生活方式,
使他的日子不太好过,
因为一些虚伪的或实实在在的
烦恼之事会使他不安。

羊 年

他在金融投资和事业上只能有适中的成绩。
他的健康状况不好,
但家庭生活安定。
不会有大动荡,
也不会发生不受欢迎的事。

猴 年

对他来说这是混合的一年。
在职业和金融事业上能有所进展,
但他不要被最初胜利所蒙骗,
不然他会被牵扯到法律争执中去。
如果他固执己见友谊将会破裂,
或者会发生荒诞的争吵。
这一年是妥协的时候,
应注意其他人的劝告。

鸡 年

这一年是幸福的。
他会得到好消息,
会得到提升,
还会有归还的钱财以补偿损失。
他的家庭生活是顺利的,
除了能弥补损失外,
他还能结交有影响的朋友。

狗　年

这一年对龙来说很困难,
因为意想不到的问题会突然出现,
而且计划也常常会出现差错。
这一年龙必须尽量避免与敌对
或持有不同观点的人对抗。
他能够通过改变环境或与可靠的朋友
做买卖来缓和紧张局势。

猪　年

这一年是不错的一年。
对他来说一切恢复了正常，
幸运之光会穿透他头顶上的乌云。
他在工作和金融方面不会有什么大问题，
但他不得不外出或多次请客，
他的家庭生活不会有什么麻烦。

属龙人生月趣解

生于正月

有人将之才,好学勤劳,在校是高材生,可进入社会又会遇到很强的对手,是一个很重要的人,但不爱与人竞争,故无用武之地。因得良友,幸福一生。

生于二月

飞龙在天,利路亨通;悄龙在天,气象成吉。是一个少年得志的人,位高权重受人敬仰。为人胸襟广博,很重情感,须防酒色误事,外出度假最好与妻子同行为佳。

生于三月

清秀聪敏,性格有点矛盾,有温柔的一面、顽强冷漠的一面,常给人的感观较为不近人情。其实意志坚强,才思敏捷,是成功的人物。

生于四月

此人正气凛然,邪气不许侵犯,做事大公无私,故容易得罪小人。在工作、生活等环境中常受小人暗算,颇为吃力,但总能化险为

夷。妻子贤惠，子女成才。

生于五月
做事粗中有细，性格开朗有亲切感，处事有原则，德才皆备，甚得朋友的爱戴，是不可缺少的中心人物。运气特佳，宝贵双全，享有美好家庭。

生于六月
虚荣心较重，死爱面子，即使经济差，仍不抛弃朋友。幸遇到灾难时即可迎刃而解，有再世孔明之雅号，亦人中之豪杰也，家庭好运。

生于七月
社交能手，足智多谋，名利双收。家庭和睦幸福。

生于八月
风流雅气，气宇不凡，有大将之才，成功之气魄，稍显主观过强。生活安排地有规有矩，交际能力颇佳，与妻子的缘分良好，是幸福的人。

生于九月

自信心很强,但有点冲动和鲁莽,故功败垂成,若能沉着运作,也是成功的。一生颇有贵人相助,福禄良好,家庭幸福,子女成才。

生于十月

有依赖之心,事事退让三分,但头脑精明、处事贤能,怕惹麻烦,保守厚重,这种人的性格甚难捉摸。家有贤妻,子孙幸福。

生于十一月

为人聪明灵敏,但有点孤僻,不喜欢出风头,谈话表情木讷,虽有才智,但胆识不高,放过很好的发展机会。家庭幸福愉快,子女孝顺。

生于十二月

生不逢时,个性耿直,从来不轻易得罪人,做事很有修养,不为利欲所动,洁身自好。是文人雅士之典型人物,甚懂人生兴趣。家庭幸福。

属龙人 生日趣解

生于初一

成吉之命格，命带官印，必有权势，事业一帆风顺。官高事顺，治国泰则民乐，家运旺兴，名利丰厚。

生于初二

一生口舌多见，祖基汪薄，离家谋财会大有成功，桃花在格，有荣盛之命。

生于初三

当算吉数，男女皆是品行端正之人，年青有劳，中年运转开。得登彼岩，家成业就，向着隆兴。寿长年高，荣幸之命。

生于初四

有欠吉祥，一生恐身体欠佳，终日忧闷，旅途艰难，女士多灾多难，凡事不利。

生于初五

智力聪明，好学而艺精，能说善讲，有读书之天赋。男女逢华盖，连科学府不过要谨慎，恐要过早患头痛眼花之疾。

生于初六

一生多烦，心想事难成，谋求难就，沉浮常有，恰似雨夜行舟。

生于初七
恰遇吉星,贵人多见,六亲得力,一生喜多忧少,婚姻美满,如意夫妻,名利丰盈,家成业就。富贵之命。

生于初八
女比男吉,男士聪明好学,成多败少,坎坷时须防官灾,女士灵秀,持家贤能,命在旺夫,贤德长寿之命。

生于初九
恰逢申子辰三合之期,命在吉祥,当有人在人上之能,财利丰盈。

生于初十
男女命带桃花,柳巷存影,一生丰富多彩。

生于十一
男士命里财库不稳,挣多少花多少,一生喜交朋友,挥钱无数。生时不吉,恐有牢灾之厄,凡事皆因强出头。

生于十二
逢吉祥日,男得好妻,女招好夫皆得力于对方。诸理顺逐,财禄不缺,子孙兴旺,晚福不浅。多寿年高之人。
生于十三
大大吉祥，印显为官，一生财禄无亏，家业兴隆子女双全，光宗耀祖。乃争气子孙。
生于十四
申子组合，属吉祥，命在享父母之基业和职业承接，六亲求助不难。初显平平，三十往后交运，财利双得。荣幸之命。
生于十五
男士命占单，命在奔波，多劳多累虽在归家，多是异乡之客；女士婚格吉祥，贤能持家，子女不缺，食不短。平常之命。
生于十六
命在吉数，人很聪明，机敏过人，勤劳好学，一生必有高就。家业隆兴，财利丰旺，必是人上之人。晚岁吉昌，多寿之命。
生于十七
男士婚格也祥，命有贤妻相助，自力发家，一生安祥平和，无惊无险；女士清秀貌美，勤快大方，助夫益子，贤慧。

生于十八

初显父母多病，兄弟姐妹难维，自力发展，中年后运走旺段，家境隆兴，衣食足用，必成一方小富人家。

生于十九

此日逢一，时令欠佳，恐时有不吉，招灾破财，做事败多成少，不得其力。人缘薄弱，借助无门，平平一生。

生于二十

苦乐均有，心肠不软，爱出风头，好强、不服他人，事业有成，安稳无险。发达之命。

生于二十一

男女心地善良，婚格俱佳，女招好男，一生属厚福之命。

生于二十二

命带桃花占主格，男喜花前月下，女喜歌舞升平，风流人物，一生快乐。若生时欠吉，恐老多病。

生于二十三

命带孤独，父母难维，六亲冷淡。出外发展，自能白手起家，一生虽较辛苦，但衣食安稳。

生于二十四

男女吉祥如意,求谋有望;繁荣昌盛,名高望远,鹏程大展。

生于二十五

男女皆属上吉,聪明显贵,男有登科遇美之才学,技艺超群,功成名就,光宗耀祖,一生调和。幸福之命。

生于二十六

命带口角,是非较多,争强好胜,做事爱计较,成小事之人,不能宏图大展,女命胜男命。

生于二十七

也属欠吉,一生劳累,披星戴月,温饱谋事多坎坷,不是多灾多难归故,就是阴差阳错,事事难随心愿。平常之命。

生于二十八

恰逢吉星高照,并在三合,财产禄享,家大业大,有居官之命,名利之份,夫妻和睦,衣食丰盈。幸运之命。

生于二十九

难随心愿,运气时起时落,贫富均有。天

生花心命，时欲花前柳巷，岁老多病。生时若吉，此格可转变。

生于三十

命带吉格，天生有官像，才华过人，统领众人，很有威望，虽诽谤、招灾时见，但虎威望重，克制牛鬼，终成大器。

属龙人的姻缘

古人认为，寰形相克图（下图）两端直接对应的属相是排斥的。

天　　　　　　　　　　地

和　　　　　　　　　　谐

龙+鼠

他会体验到妻子忠实而乐观的爱情。鼠太太会甘愿随他走遍天涯海角。他豪爽,能挣钱,也能挥霍,他应该储蓄一些以防不测。她可爱、节俭、富于智谋、善于谈吐,总把他当成领袖。这将是个丰裕且很持久的家庭。

龙+牛

他俩较真的性格,既可促成婚姻也能破坏婚姻。他工作是为得到人们的夸奖和承认,可她却不能不顾及物质利益。如果他的努力并未得到相应的钱财,她就会变得苛刻,毫无同情心。他容易激动、性格外向,她则遵从世俗,并很谨慎。他需要爱需要被夸奖,她却冷冷淡淡,喜怒不形于色。两人若要共同生活,都需做出很大妥协,但如果这种努力获得成功的话,他们将会因对方而感到非常骄傲,并甘愿为对方献身。

龙+虎

他们的关系不是平静、相安、庸庸碌碌的那一种。他们都积极向上、勇于开拓，活动能力很强。如果他们了解相互的个性，给予对方充分的自由和表现机会的话，他们可以成为互相激励的伴侣。她能够尊重甚至崇拜他，但决不因此而放弃自我。他如果想训练她服从，那纯粹是自寻烦恼。两人都急躁易怒，都想成为统治者，如果他们能寻求到某种平衡的话，就能维持这种冒险的婚姻。

龙+兔

　　她需要他的力量和勇敢，他依赖她的能干和友谊。他强壮、坦直，她则宽容、圆滑，她将为他安排一个美妙舒适的家。她有适应能力，但情绪不稳定，不能保护自己。他以战士和保护者的身份维护她。如果他们能为共同的幸福而奋斗，不让琐碎的事情或阴谋破坏他们的关系的话，他们的结合是很好的。

龙+龙

不是非常和谐的。他们首先需要的是统一他们的目标。两人个性都强,意志坚定,而且喜欢寻衅。龙太太不愿受人庇护,她事实上也确实比他更有决断力。龙丈夫一副主人派头总想控制别人,但他必须放弃许多权力才能做到这一点。他们都聪明过人,有自己的事业,应该避免互相压制。

龙+蛇

　　如果能把他们相异的个性调整合适的话,他们能建立起令双方都得到满足和鼓舞的关系。他活动能力极强,专横跋扈;她享乐至上,追求舒适,从容不迫。他总是准备去奋斗,去取得成就,她将自己的坚韧和判断力灌输给他。在具体问题上,她往往比他更精明,至少能更好地掌握家庭的收支。他们能够为家庭建立起稳定可靠的基础。

龙+马

马夫人足智多谋,能很好地安排龙丈夫带回家的各种收入。但严格的龙丈夫可能认为她太不安定,也太不关心家庭的稳定。如果他们生活在城市中,生活就会富裕和欢乐得多,因为马太太在理家的同时还可以出去工作,事实上,当双方都享有自由和多变的生活时,他们会表现得更好一些。抱负不凡的龙丈夫会发现他妻子实际的眼光是非常有益的。她则喜爱他的强壮和可以依赖。

龙+羊

　　看来不能互相吸引。若要融洽地相处,双方必须付出艰巨的努力。他喜欢冒险和独立,她却受情绪和感情所支配。她热爱家庭生活,但他却不像她那样专心于家务。她爱哭,他发现要来表现她所渴望的那种同情和耐心是十分困难的。她习惯以直觉处理事情,他却精明果断。倘若他能努力改变自己并形成习惯,则双方关系有改善的可能。

龙+猴

  浪漫、理想的婚配。他被她的魅力所吸引,她赞赏他的领导才干。他们都十分热情,是高于平常水平的行动者。他们在一起能够相互辉映,两个人将一同去进行新的探索。他们都倾心于社交活动,很可能建立一个美好的家庭,能在家中款待很多朋友。

龙+鸡

　　能够和睦地共同生活,不过首先要弥合某些裂痕。他精悍、生机勃勃,她则注重实效,具有批判眼光。她的识别力和时而流露出的冷眼旁观的态度常常会打消他的盲目自信。如果他们知道自己该管的是什么,并能取得一致的话,他们会很幸福,他们在智力水平上是平等的,但谁也不要想靠自己的成就去压倒对方。

龙+狗

　　由于性格相差太远,将产生许多矛盾。他们都是敢作敢为、坚强有力的人,但有不同的表现方式。他热爱自由,行为独立不羁,而她希望他合作和忠实。他们都下意识地想从对方那里获得自己所缺乏的品质,但在如何做的问题上又缺乏基本的理解。他们都骄傲、任性,常常互相挑战,谁也不愿轻易认输,谁都怕丢脸。如果两人结合,双方都要做很多努力来改变自己的性格。

你我她

龙+猪

稳定的、成功的结合。猪太太总是支持和鼓励雄心勃勃的龙丈夫。他容易冲动,她则重于克制。他好战,她却能使他平静下来。为了共同目标,他们能够顺利地合作。无论他干什么,猪太太都愿意为他奉献一切。他大胆、一往无前,每当他失败跌倒,她都会毫无怨言地扶起他。他们的爱情是非常热烈的。

鼠+龙

他们都有勇气,并且果断。这对婚配有一个光明的、美好的未来。他们谁也不会过分地限制对方。鼠丈夫会发现他的龙太太是一个很值得赞美的伴侣,只是有点自以为是。两人都自信并信赖对方。他们将会更多地看到生活的光明面,并从这婚姻中获得极大的满足。

牛+龙

不够和睦。对于开拓型的、精力充沛的、热情而容易激动的龙夫人来说,牛丈夫太迟缓,太深思熟虑和有条不紊了。他能够使她更坚强些,但她将仍然时不时地做出轻率、大胆的事,她的乐观情趣可能会使他活跃一些,或使他更加发奋。不过,他是冷静的、冷漠而孤独的人,她却需要热闹和多变的生活,如果他们能够互相尊重和相互称赞的话,努力调整关系还是可能的。

虎+龙

他们都精力充沛、野心勃勃、果断勇敢、勇于革新,能给予对方很多的刺激,但在相互间最初的热情消退之后,谁也不肯坚持到底。她的领导欲很强,总想与他争夺家中的统治权,他则想方设法将她支走,使她无法限制他的行动或被他驯服。若想成功地相处,双方都应付出很大的努力。

兔+龙

　　实际的、巩固的婚姻。她独立自在、活泼乐观，他能干、内向、精于算计。她能鼓舞他的情绪，使他对自己的目标更加雄心勃勃。他能教她与人交往时的一些权谋，以及优雅的举止。他不在乎她在家中的专断地位，因为他知道她最终还是听从他的忠告。他能干而温和，她有足够两人使用的主见和果断。

蛇+龙

他很爱她,但占有欲强,性情复杂。她大方、坦白、易受感动。他总是反复掂量自己的行动,她要想使自己的意见得到采纳,非得与他进行较量才行。这场婚姻会因一些摩擦受到影响。不过,龙太太内心是希望有个比她更聪明、更有支配力的丈夫。蛇丈夫虽然只能为这场婚姻的巩固提供最起码的东西,但他还是赞赏龙太太的雄心和热情。如果双方下定决心,他们能把生活一浪一浪地推向前进,能建立一个有益的、有建设性的家庭。

马+龙

马丈夫多才多艺,足智多谋,而她对新奇的、令人兴奋的建议予以采纳。龙太太会将她那理想主义的观念和计划灌输给她那勇敢、冒险、与她同样外向的丈夫。他很有洞察力,能在投机时判断成功的机会,而她的权力和说服力足以对付他的前后矛盾。他们都向往一种活跃的生活,他们都不是家庭型的人,谁都不甘心守在家里。

羊+龙

这种安排一般。羊丈夫对龙太太的风采和优越个性很着迷。她哪一方面,都被他的善良、正义和诚恳所吸引。从不利的一面说,羊丈夫胆量太小,不敢尝试龙太太那些雄心勃勃的做法;龙太太则认为羊丈夫太保守,不敢冒险,合不上她的标准。他需要依靠她的激励,但她也会把他逼出忍耐的限度。这个结合需要一个尝试期。

猴+龙

最好的配合之一。因他们能协调双方的积极力量,取得长久一致和共同成功。两人都思路清晰、很有上进心。他更实际、机智,她的意志力和能量对两人都有帮助。他作计划时,她帮他每次都把目标放得很高。他爱挑战,她则站在他一边,给他有力的响应和支持。两人能互相迎合、互相商量,和谐一致地工作。

鸡+龙

出色而多彩的婚配。他很明智、擅长分析,并将被她大胆而闪光的个性所吸引。她能立刻发现他的知识、本领等内在价值,他们在一起可以获得理想的成功。她目标明确,不会轻易被蛮横的进攻所征服或吓倒,她还会耸耸肩而不理睬他的唠叨不休。她也有些他必须忍受的怪僻,他感到她的激情和活力似乎是无限的,令人振奋的。她不反对他管她的事,只要他对她平等相待,尊重她的意见。

狗+龙

各自都令对方捉摸不透,他们的爱情是建立在贬低对方基础之上的,他们都想方设法压制对方。当男方愿意和解时,又不满于妻子的蛮横无理。而女方发现,如果逼迫过头,他会沉默不语更加怪僻,一旦闹到有损名誉的地步,他便会露出好斗、尖酸刻薄的本性。他们都不能顺利地依从对方的想法,这样的婚姻,充其量不过是个爱和恨的结合罢了。

猪+龙

是真正成功的结合,而在未来的生活中,夫妻关系将越来越好。丈夫终常以不同的形式表现出其热情而坚定的性格。以力量为象征的龙妻能促使任何婚姻发展成一种权势的争斗,并在争斗中削弱丈夫的力量。丈夫并不讨厌,为了他的爱,他甘愿做出让步。为了获得成就而赢得她的赞赏,他也在不屈不挠地努力。他们能互相体谅,在性爱中双双得到满足。他们的缺陷是,双方都太敏感,以致不能受到任何刺激,很容易被热情的纵欲搞得神魂颠倒,而他们当中谁也不愿做出适当的节制。

平安一生

吉祥四季

春夏秋冬

【生于春】吉祥方位：西方、西北方
吉祥颜色：白色、灰色、黄色
吉祥饰品：铜锣、金丝眼镜、金表
吉祥密码：酉、申、巳、丑、庚、辛
吉祥行业：从事与"金"相关的行业

【生于夏】吉祥方位：北方、东北方
吉祥颜色：蓝色、黑色、白色
吉祥饰品：孔子铜像、金链、蓝田玉、金笔
吉祥密码：子、丑、申、辰、亥
吉祥行业：从事与"水"相关的行业

【生于秋】吉祥方位：东方、东南方
吉祥颜色：绿色、黑色
吉祥饰品：木鱼、木佛珠、绿宝石、灵芝、竹板平安、人参王
吉祥密码：甲、乙、寅、卯、亥
吉祥行业：从事与"木"相关的行业

【生于冬】吉祥方位：南方、西南方
吉祥颜色：红色、紫色、黄色
吉祥饰品：红木用品、打火机、太阳画、牡丹花、玩具猫、骏马图
吉祥密码：午、寅、戌、巳、未
吉祥行业：从事与"火"相关的行业